ISBN SÉRIE 2-84580-048-7 / ISBN VOL. 2-84580-050-9
ISBN ÉD.ORIGINALE 4-09-136355-5

AKI MIKAGÉ

YUHI AOGIRI

AYA MIKAGÉ

TOYA

RÉSUMÉ :

Aya et Aki Mikagé sont jumeaux. La veille de leur seizième anniversaire, alors qu'elle manque de se faire renverser par une voiture, Aya est sauvée de justesse par un mystérieux garçon nommé Toya. Cet anniversaire est décidément marqué du sceau du destin. En effet, après que ses proches lui aient fait subir un étrange test, ils tentent de tuer Aya sous prétexte qu'elle posséderait les pouvoirs de la nymphe céleste de la légende de la robe de plume. Elle est sauvée in extremis par le petit frère d'une fille nommée Suzumi Aogiri, qui possède également du sang de nymphe céleste, Yuhi. Suzumi cache Aya de sa famille et fait en sorte que Yuhi la protège. Pendant ce temps, Kagami de la famille Mikagé décide d'utiliser Toya pour combattre les pouvoirs de Aya. Mais le père de Aya, en essayant de défendre sa fille bien-aimée, est tué par les hommes de main de Kagami. La mère de Aya à qui Kagami a dit que sa fille avait tué son mari devient folle et agresse Aya. C'est au moment où Aya est acculée au mur, face à la mort, qu'apparaît Cérès… !!

DES FEUX D'ARTIFICES ...?

BLAM

NON... ATTENDS UN PEU !!

...CETTE FEMME FAIT AUSSI PARTIE DES MIKAGÉ...

EST-CE QUE TU LA PROTÈGES... ?

CRAC

NON !! ATTENDS ! C'EST TA... NON C'EST LA MÈRE DE AYA !!

ELLE NE FAIT VRAIMENT QU'UNE AVEC AYAAAAAAAA !? NOOOON, AYA EST GROSSIÈRE ET INSOLENTE, ELLE N'A PAS CETTE GENTILLESSE, NI CETTE BEAUTÉ ET ENCORE MOINS CE SEX-APPEAL !!!!!

LA MAISON N'EST PAS SI... GRANDE... MAIS... JE N'ARRIVE PAS À SAVOIR OÙ ELLE EST

...SERAIT-CE UNE AUTRE DIMEN-SION... ?

!!

ATTENDS
...

TAP

PIN
PON

PIN
PON

PIN
PON

C'EST ICI,
VOILÀÀÀÀ
!!

...
MAMAN
!

MAMAN...
JE T'EN
PRIE,
RÉPONDS-
MOI !!

PIN PON

PIN PON

MAMAN
!!

PIN PON

ELLE
NE SE
RÉVEILLE
PAS... !

MAMAN
...!!

JE ME SOU-
VIENS, ELLE
ME POURSUI-
VAIT ET...

ELLE EST TOU-
JOURS SANS
CONNAISSANCE
... ?

NOUS NE
POUVONS
QU'ATTENDRE
ET ESPÉRER !

.....

D'APRÈS LES MÉDECINS,
SON ESPRIT S'EST COM-
PLÈTEMENT RENFERMÉ À
LA SUITE D'UN CHOC
PSYCHIQUE ?

"UNE FOIS QUE TU L'AURAS EMBRASSÉE, ELLE NE TE RÉSISTERA PLUS !!"

C'EST-À-DIRE QUE...

HUM !

À PROPOS, CETTE NYMPHE CÉLESTE APPELÉE CÉRÈS... BON TRAVAIL, TU L'AS BIEN FAIT REVENIR !

QU'EST-CE QUE LES MIKAGÉ ONT BIEN PU LUI FAIRE ?... QUAND MÊME ! UNE MÈRE QUI S'ATTAQUE À SA FILLE ...

JE ME SUIS SOUVENU DU CONSEIL DE MES COPAINS SANS RÉFLÉCHIR !

ET CE "RENDS-MOI MA ROBE DE PLUME", QUE SIGNIFIE-T-IL ?...

POUR QUELLE RAISON LA COULEUR DE SES YEUX ET DE SES CHEVEUX AVAIT-ELLE CHANGÉ ?

HMM

AYA... NE SE SOUVIENT DE RIEN

ELLE ÉTAIT IMPRESSIONNANTE QUAND ELLE A PARLÉ D'EXTERMINER TOUS LES MIKAGÉ...

QUELLE HISTOIRE TERRIBLE !...

PFF

LES BLA-BLAS DE YUU WATASE

Salut, c'est Watase ! Nous avons réussi à sortir "Ayashi no Cérès" sans problèmes pour l'instant. Comme dans cette histoire il y a beaucoup de mystères, je m'amuse à lire vos "théories". Dans ce volume, vous trouverez la réponse à quelques-uns des mystères posés dans le premier volume, mais je sens que l'histoire va encore se compliquer et j'ai déjà la tête qui tourne rien que d'y penser !!

Je ne sais plus comment arranger les choses car les personnages aussi deviennent de plus en plus nombreux. Parmi eux, la plus populaire est à ma grande surprise, madame Kyou (rires) !! Simplement avec son visage, elle est capable de changer l'ambiance dramatique d'une situation en franche rigolade, j'ai donc l'intention de la faire apparaître le plus souvent possible !! Quelque part, c'est un personnage plus mystérieux que Tôya. Mes assistantes me disent sans arrêt "la doubleuse doit absolument être Shigéru Chiba" !!

Depuis que je l'ai entendue, chaque fois que j'écris ces paroles j'imagine la voix de Chiba... (rires) Moi, je pensais à Mégumi Hayashihara pour la voix de Aya... Parce qu'elle est dynamique.

Enfin, le sujet de "Ayashi" est l'histoire d'une nymphe mais à vrai dire, j'avais un autre sujet quand on a commencé cette histoire. C'était, d'après l'éditeur, un sujet courant et répétitif, autrement dit l'ange et le diable (rires). Je voulais essayer de montrer ce sujet sous un autre angle qui a déjà un certain style (il paraît qu'il existerait déjà un autre sujet dont tout le monde se serait déjà servi, c'est la Mort. Mais je crois que l'important est la façon de le décrire...).

Puis, on m'a dit d'éviter un sujet trop banal tel les vampires, donc j'ai choisi le sujet de la nymphe céleste. Avec le titre précédent "Fushigi", "Ayashi" et, si j'arrive à écrire un sujet sur des anges, je voudrais bien faire une sorte de trilogie céleste, mais en fait je n'en sais rien. L'histoire va peut-être même changer du tout au tout !! D'ailleurs, dans "Ayashi", je ne suis pas sûre de mettre des scènes qui montrent "le monde céleste".

"BIEN QUE CE SOIT DE MOI DONT IL S'AGISSE"

...ÇA M'ÉNERVE...

JE N'AI PAS PU LUTTER CONTRE LA VOIX DE CETTE "NYMPHE CÉLESTE" EN MOI

"LAISSE-MOI SORTIR"

ÇA M'ÉNERVE !!

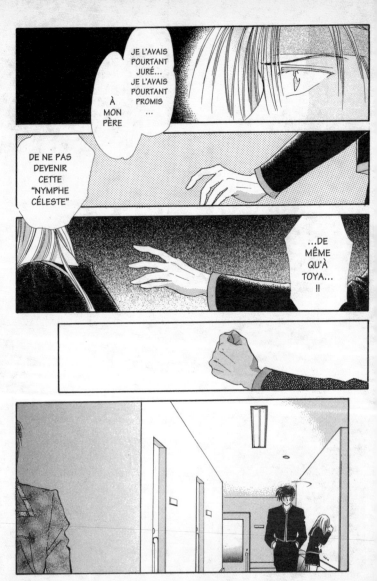

30

TOC
TOC
TOC

CHERCHEZ-LE !! IL NE PEUT PAS ALLER BIEN LOIN AVEC SES BLESSURES !!

ATTENDS

AYA

MAIS OÙ EST PASSÉ AKI ?!!

...JE SUIS CREVÉ, NOUS EN REPARLERONS PLUS TARD !

TOYA ! ... TU AS ÉTÉ BIEN LONG !

QU'EST CE QUE VOUS FOUTIEZ TOUS LES DEUX ? SI JAMAIS IL LUI ARRIVAIT QUELQUE CHOSE !!

TU N'ES DONC PAS SI PRESSÉ QUE ÇA DE RETROUVER TES SOUVENIRS ?!

RACONTEZ PAS N'IMPORTE QUOI, APRÈS LA FILLE, LE FRÈRE ?... LAISSEZ-MOI ME REPOSER, EN PLUS J'AI FAIM !

AKI S'EST ENFUI, VA VITE À SA RECHERCHE, C'EST AUSSI TON BOULOT !!

J'AI REN-CONTRÉ LA "NYMPHE CÉLESTE" !...

⋮

"LA ROBE DE PLUME, TU VAS ME DIRE OÙ ELLE EST !!"

EN FILLE DONT LA PER-SONNALITÉ EST TOTALE-MENT DIFFÉRENTE DE CELLE DE AYA ET QUI S'AP-PELLE "CÉRÈS"... LA COU-LEUR DE SES CHEVEUX ET DE SES YEUX AUSSI EST DIFFÉRENTE...

!!

COMME VOUS LE PENSIEZ, AYA S'EST TRANSFORMÉE

ÇA VOUS VA COMME ÇA ?

JE VAIS CHERCHER AKI

LA ROBE DE PLUME...!? ET ALORS ?

KAGAMI !

TAP TAP TAP

DIS SIMPLE-MENT QUE TU AS ÉCHOUÉ DANS TA MIS-SION !

...GRAND-PÈRE... AKI NE DOIT PAS RENCONTRER AYA !

APPAREMMENT, AKI EST PARTI À LA RECHERCHE DE AYA !

CÉRÈS... UNE ROBE DE PLUME... HMM...

MAIS SI TOUTEFOIS ÇA ARRIVAIT, IL SE POURRAIT QU'IL SE PRODUISE UN ÉVÉNEMENT INTÉRESSANT ...

OUI !

NE T'INQUIÈTE PAS, YUHI A BIEN EXPLIQUÉ TON ABSENCE À L'ÉCOLE...

TU DOIS ÊTRE ENCORE FATIGUÉE, PROFITE DE CETTE JOURNÉE POUR TE REPOSER !

TU AS DORMI SI LONGTEMPS, IL EST DIX HEURES !

AH, TU T'ES ENFIN RÉVEILLÉE ?

... ÇA FAIT TOUJOURS PLAISIR !

PAUVRE AKIIIII, IL A LE VISAGE TOUT ÉCRASÉÉÉÉÉÉ !!!!!

OUIIIII!!

SUZUMI !! DIS-MOI COMMENT VA MA MÈRE !!!

AH OUI JE SUIS REVE-NUE DE L'HÔPITAL ET PUIS

AH!

SU... MADAME SUZUMI...

HMM

IL N'Y A PAS DE CHANGEMENT, IL PARAÎT QU'ON LUI A FAIT BOIRE QUELQUE CHOSE MAIS IL N'Y A PAS DE PREUVES... IL FAUT LAISSER FAIRE LE TEMPS !

PLUS TARD TU TRAVAILLERAS ET TU ME REM-BOURSERAS LA TOTALITÉ DE LA SOMME !

SPAF

GNN...

MON GRAND-PÈRE ET LES AUTRES, QU'EST CE QU'ILS T'ONT DIT ? QU'EST CE QU'ILS T'ONT FAIT ?

MAMAN M'A ATTAQUÉE ...

CE MATIN IL A DIT "JE NE VEUX PAS ALLER À L'ÉCOLE"

YUHI VA BIENTÔT REVENIR

RASSURE-TOI, POUR CE QUI EST DES FRAIS D'HÔPI-TAUX, FAIS-MOI CONFIANCE, JE ME DÉBROUILLERAI

...MAIS QUI C'EST CES TYPES DE MON ÉCOLE !!

YUHI ...

IL S'IN-QUIÈTE BEAUCOUP À TON SUJET

MERCI !!

BIENVENUE !

TAP TAP TAP TAP TAP

JE LEUR DIS QUE AYA SE REPOSE ET ON ME RÉPOND "UNE GUERRE DES MÉNAGES" TOUTE LA JOURNÉE ÇA A ÉTÉ COMME ÇA , C'EST VRAI-MENT CREVANT !! CRE... VANT !!

CE N'EST PAS QUE ÇA ME DÉPLAISE MAIS...

VIDE

VRR...!

45

JE SUIS MEILLEUR EN CUISINE !

...ALORS OÙ EST LA MAISON PRINCIPALE? ET TOI TU NE PEUX PAS DANSER ?

APRÈS QUOI, ELLE LUI A SUCCÉDÉ ET A PROTÉGÉ CETTE MAISON !

QUAND J'ÉTAIS EN PRIMAIRE, MA MÈRE EST MORTE, ELLE ÉTAIT TRÈS DOUÉE EN CUISINE ET COMME JE N'AVAIS PLUS PERSONNE POUR ME LA FAIRE ALORS J'AI DÛ APPRENDRE À ME DÉBROUILLER TOUT SEUL ...

...TU NE T'ES PAS BIEN ENTENDU AVEC TA BELLE-MÈRE ?

DANS NOTRE RÉSIDENCE PRINCIPALE, IL S'ENTEND BIEN AVEC MA BELLE-MÈRE, MON DEMI-FRÈRE EST L'HÉRITIER DE LA FAMILLE ...

ET MOI, ON ME LAISSE VIVRE ICI...

ET TON PÈRE ?

46

48

..."YUHI"

SBAF!

O...

OUAILLE
!!

ET EN PLUS C'EST AVEC LA MAIN BLESSÉE !

BRR

CETTE FILLE ME FAIT PERDRE TOUT CONTRÔLE ...

MAIS QU'EST-CE QUE JE FAIS ?!...

"AYA EST SOUS MA PROTEC- TION"

TOUT À L'HEURE AUSSI, LA FAÇON DONT JE LUI AI PARLÉ

CASSEZ-VOUS, BANDE D'IDIOTS, LÂCHEZ-MOI

QUOI !!

AIE...

LÂCHEZ-MOI, J'AI PAS LE TEMPS DE M'AMUSER AVEC VOUS

C'EST QUI L'IDIOT AU FAIT !

OUILLE

53

...TU T'IN-QUIÈTES...

BIEN SÛR, NOUS SOMMES FRÈRE ET SŒUR, NON ?!!

IL FAUT QUE J'Y AILLE VITE...

AYA EST UNE FILLE SOLIDE, MAIS ELLE A UN CÔTÉ FRAGILE

MÊME SI TU TE REFAIS AGRESSER ?!

SI JE N'AVAIS PAS DE TELLES BLESSURES, J'AURAIS CERTAINEMENT PU LES BATTRE !

TAP

!

LÂCHE-MOI !

RESTE LÀ UN PEU

ATTENDS

AÏE...

LES BLA-BLAS DE YUU WATASE

Une petite information. La deuxième partie des OAV de Fushigi Yugi va sortir à partir de mai 97 et totalisera six volumes. En même temps que la première cassette vidéo, il y aura peut-être un événement qui aura lieu, scrutez bien les pages de Shojo Comics, etc. En vérité, aujourd'hui, (janvier 97) je ne connais toujours pas les détails. Il y a aura aussi peut-être un CD-Rom de Fushigi Yugi, alors n'oubliez pas de vérifier. Malheureusement, si vous n'avez pas de PC chez vous, vous ne pourrez pas les voir. Normalement, il y a aura des extraits des 52 épisodes de la série TV ou alors des questions aux doubleurs. En tout cas, ce n'est pas encore déterminé (il faut d'abord que les OAV soient mis en vente). J'ai oublié ! Dans la 2e partie, les couvertures des six volumes c'est moi Watase qui les ai dessinées !! Pour les LD on utilisera certainement les mêmes illustrations une nouvelle fois, vous verrez Miaka et les sept étoiles de Suzaku dessinées par moi, attendez avec impatience !! Moi, je n'en peux plus… Quoi ? Un roman ? Soyez pas si pressés !! (rires).

Au fait, j'ai enfin réussi à faire un régime !! J'ai perdu huit kilos en cinq mois en 96… Et puis encore deux kilos depuis le début de l'année. Tout le monde me dit que ce n'est pas la peine de maigrir plus alors je me contente de cette perte et je mange normalement… et je n'ai pas repris de poids depuis !!! Il ne me reste plus qu'à faire du sport pour durcir mon p'tit corps…

Ce qui me fait le plus plaisir, c'est ce sentiment d'accomplissement et savoir que si je fais des efforts, je peux y arriver. Par conséquent je suis beaucoup plus fine qu'à l'époque de la sortie de l'art book de Fushigi (en plus je me suis fais couper les cheveux très courts et teindre en châtain !!)… Je suis une autre personne en quelque sorte. Même depuis la convention de Fushigi en 96, j'ai encore maigri !!

VINT UN JOUR OÙ CE JEUNE HOMME EN SE PROMENANT SUR LE BORD DE LA MER, DÉCOUVRIT DE BELLES JEUNES FILLES QUI SE BAIGNAIENT

AU PIED D'UN SAPIN, ÉTAIT ÉTENDU UN SUPERBE MANTEAU À LA CONFECTION TRÈS RARE. LE GARÇON COMPRIT QU'IL APPARTENAIT À L'UNE DES NYMPHES, LE VOLA, PUIS LE RAMENA CHEZ LUI

SANS SA ROBE DE PLUME, LA NYMPHE CÉLESTE NE POUVAIT PAS RETOURNER VERS LES CIEUX. EN VOYANT LE JEUNE HOMME, ELLE LUI DEMANDA : " TU NE SAIS PAS OÙ EST MA ROBE DE PLUME ? SI C'EST TOI QUI L'AS, JE TE PRIE DE ME LA RENDRE". MAIS LE GARÇON FIT MINE DE NE RIEN SAVOIR. LA NYMPHE NE POUVANT RENTRER PLEURA TOUTES LES LARMES DE SON CORPS ET, PAR DÉPIT, FINIT PAR ÉPOUSER LE GARÇON.

DE LEUR UNION, DES ENFANTS VINRENT AU MONDE. QUELQUES ANNÉES PLUS TARD, DE LA BOUCHE DE L'UN DE SES ENFANTS UNE CHANSON SORTIT, ELLE RACONTAIT OÙ ÉTAIT LA ROBE DE PLUME, CACHÉE PAR SON MARI

C'EST ICI !?

TCHAC...

TAP

C'EST LA FAMILLE AOGIRI... ?!

AYA EST LÀ !

UNE FOIS SA ROBE DE PLUME RETROUVÉE, LA NYMPHE CÉLESTE S'EN RETOURNA VERS LES CIEUX TANT ESPÉRÉS

LAISSANT SON MARI...

ET SES ENFANTS ...

GNN...

NON ...

AYA... TU NE SAIS VRAIMENT RIEN ? POUR-QUOI GRAND-PÈRE TE RECHERCHE AINSI ?!

TU SAIS POURQUOI TOUT CELA S'EST PASSÉ ?

JE SUIS JUSTE À CÔTÉ, S'IL Y A QUELQUE CHOSE APPELEZ-MOI, BONNE NUIT !!

ALLEZ, RESTEZ ENTRE FRÈRE ET SŒUR ET REPO-SEZ-VOUS ICI !

BONNE NUIT !

JE NE PEUX PAS LE DIRE

SURTOUT À AKI

HEIN ? OK...

AKI... DONNONS-NOUS LA MAIN

TU AS RAISON

C'EST COMME QUAND ON ÉTAIT PETITS... C'EST TRÈS RASSURANT

GRR !

OUI !

...AH OUI, AKI, LES BOUCLES D'OREILLES ...

AHAH... C'EST ÉVIDENT IL ME SEMBLE !!

AU FAIT AKI... TU ES TOUJOURS LE AKI QUE JE CONNAIS, NON ?!

...
PUISQU'ON EST ENSEMBLE ... RASSURÉS ... DORMONS ... !

...
BONNE NUIT AKI...

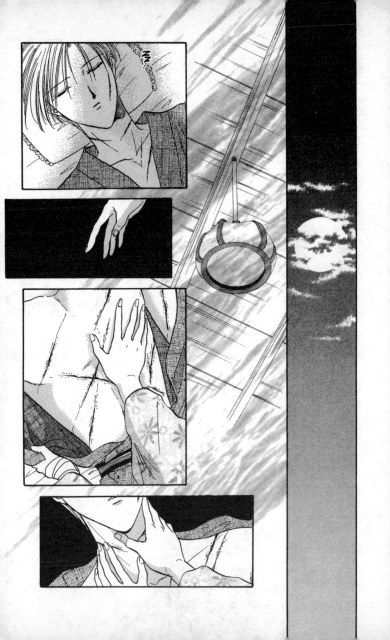

TOYA
...

C'EST
ENCORE
TOI...?!

VIENS
ICI AKI !!

TAP
TAP
TAP

.......!

KEUF
KEUF

KEUF
KEUF
KEUF

AKI... EST L'ENNEMI, QUE VOULAIT-ELLE DIRE ?

ELLE A DIT DE LUI RENDRE SA ROBE DE PLUME

AIE !!

SCRIIISH

...QUAND JE SUIS DESCENDUE DU CIEL POUR LA PREMIÈRE FOIS

À CAUSE DE CELA, JE N'AI PAS PU RETOURNER DANS MON MONDE ALORS, DE FORCE IL M'A...

OUI... CES CICATRICES, CE SONT LES MÊMES QUE JE LUI AVAIS INFLIGÉES JADIS AVEC MON POUVOIR...!!

VRZZ

!

CE GARÇON... MIKAGÉ... M'A VOLÉ MA ROBE...

IL N'Y A NI SŒUR NI FRÈRE, TU ES MON ENNEMI !! LES MIKAGÉ SONT TOUS MES ENNEMIS !!!!

PAF

POURQUOI…!!? JE NE VEUX PAS PARTIR !! JE FERAI DORMIR AYA JUSQU'À LA FIN !!

YUHI… !!

ÇA SUFFIT, RENDS-NOUS AYA, CÉRÈS !!

AKI !! ON S'EN VA MAINTENANT !!

!!

TU VEUX TE BATTRE CONTRE TA JUMELLE ?!

... AAH TOYA !

ATTENDS UN PEU !!

MERCI BIEN TOYA... JE M'OCCUPE DU RESTE

KAGA-MI...

AKI... MONTE DANS LA VOITURE !

LES BLA-BLAS DE YUU WATASE

Aaaah ces derniers temps, je me suis éprise d'un plat spécial !!... C'est le Natto !! Contrairement à ce que l'on dit, "les gens de Kansai" ne mangent pas souvent de Natto, mais ma famille en mangeait. C'est un souvenir lointain mais parmi ma famille j'étais la seule qui faisait des grimaces en sentant l'odeur de ce plat...

Moi, Watase, j'aime et je déteste beaucoup de choses mais en regardant une émission TV, j'ai compris l'avantage de ce plat... par exemple il est riche et bon pour le cerveau, il renforce les résistances aux bactéries, il n'y a que des bonnes choses dedans !!... Je me suis dit qu'il fallait absolument que j'en mange même si je ne trouve pas ça bon... et j'ai essayé... J'ai fait en sorte que le goût soit plus agréable. En plus du Karashi* qui est dans l'emballage du Natto, j'ai ajouté de la vinaigrette au Shiso**, (avec du vinaigre, ce n'est pas mal, aussi de la poudre de piment et poireaux hachés). Alors ça devient vachement bon !! Je suis devenue folle de ce plat à tel point que si je ne l'ai pas chaque matin je suis déçue ! Je peux même en manger aux trois repas de la journée !! Et maintenant, je peux même le manger nature sans rien. Je ne savais pas qu'il existait un plat si bon... (j'exagère peut-être un peu...) Avec l'âge le goût pour les nourritures change, on a raison de le dire. Moi, je mange de moins en moins de fritures ou autres plats gras. Il n'y a pas que la nourriture, mais aussi la façon de penser qui a changé. Depuis peu, je me sens frustrée parce que j'ai de plus en plus l'esprit révolutionnaire et alors une connaissance m'a dit que c'est parce que j'essaie de m'extérioriser et que mon ego se développe. En plus, elle m'a dit que c'est comme quand les ados commençaient à faire des bêtises... Quoi !! Ça veut dire qu'à mon âge je commence à me révolter comme un ado ?!!... J'ai entendu que cela existait même pour les gens qui ont plus de trente ans...

*moutarde japonaise
**basilic japonais

C'EST LA VOITURE DE KAGAMI QUI L'A RECONDUIT

!!

LA PROCHAINE FOIS, JE SUIS SÛRE QUE GRAND-PÈRE L'ENFERMERA POUR DE BON !!

OÙ ?!! ET POURQUOI TU L'EMMÈNES ?! CE N'ÉTAIT PAS TOI QUI L'AVAIS CONDUIT ICI !?

TU ES... REDEVENUE TOI MÊME ?

...ET JE ME SUIS ATTAQUÉE À AKI ? ET À TOI AUSSI !?...

...RÉPONDS-MOI !! POURQUOI TU NE ME DIS RIEN ?!!

JE ME SUIS ENCORE TRANSFORMÉE EN "NYMPHE CÉLESTE" ?

...QUE VEUX-TU DIRE PAR "TU ES REDEVENUE TOI MÊME ?

HABILLE-TOI CORRECTE-MENT !

NE RACONTE PAS N'IMPORTE QUOI EN PLEIN MILIEU DE LA NUIT

...TOI !! EN VÉRITÉ TU SAIS TOUT, N'EST-CE PAS !? ÇA M'ÉNERVE !!

TANT QUE TU NE ME DIRAS RIEN, JE FERAI TOUT POUR TE RETE-NIR !!

... AVANT ...

!!

...MA VOITURE EST ICI ALORS VIENS T'AS-SEOIR À L'IN-TÉRIEUR SI TU VEUX !

SI QUELQU'UN TE VOYAIT, C'EST MOI QU'ON PREN-DRAIT POUR UN VOYEUR

JE N'AI AUCUNE IDÉE DE LA DIRECTION QU'ELLE A PRISE !

ZUT, ELLE COURT DRÔLEMENT VITE !!

AYA !?

C'EST PARCE QUE TU T'ES PERDU

DONC POUR LA FAIRE REDEVENIR ELLE-MÊME, TU DOIS L'EMBRASS...

NE DIS RIEN, J'AI HONTE !!!

．．．．．

SI C'EST LA NYMPHE CÉLESTE, ELLE EST DIFFÉRENTE DE CE QUE J'IMAGINAIS...

ET CETTE HISTOIRE, SI ELLE EST VRAIE, C'EST UNE CHOSE BIEN GRAVE !

90

TOUT SE PASSE EN MOI

MAIS CE QUI EST À MOI EST À MOI... AUSSI BIEN MON CORPS QUE MON ESPRIT !

...IL S'EST ENDORMI

AYA MIKAGÉ... TA VIE EST À TOI, ELLE T'APPARTIENT ET À PERSONNE D'AUTRE...

J'AI FROID ...

J'AI FROID ET JE TREMBLE MAIS JE NE COMPRENDS RIEN... EST-CE DE LA COLÈRE ? DE LA TRISTESSE ?

TU PARLAIS DE CE LIT ! PARDON DE TE L'EMPRUNTER !

ET SONT-CE BIEN MES SENTIMENTS ?

OU BIEN

NON ÇA VA !

J'AI FROID

EST-CE CETTE AUTRE PERSONNE EN MOI QUI...

J'AI ESSAYÉ AVEC FORCE DE ME SOUVENIR MAIS... SEULES DEUX CHOSES ME SONT VENUES À L'ESPRIT, "TOYA" ET "MIKAGÉ"

JE N'AVAIS EN MAIN QUE QUELQUES BILLETS

JE NE ME SOUVENAIS PLUS QUI J'ÉTAIS, NI DE MON ADRESSE, NI DE MA FAMILLE

J'AI REPRIS CONSCIENCE DANS UN PARC SOUS LA PLUIE

ON M'A FAIT UN CONTRAT DE GARDE DU CORPS MAIS... CET APPARTEMENT, LA VOITURE ET L'ARGENT M'ONT ÉTÉ DONNÉS

...ET TU AS RETROUVÉ MIKAGÉ ? ET ON T'A DIT "TRAVAILLE POUR NOUS ET ON T'AIDERA À TE SOUVENIR" ?

ILS VEULENT ABSOLUMENT AVOIR CETTE "NYMPHE CÉLESTE" !

PARCE QU'ON SAVAIT QUE "J'AVAIS UNE FORCE CAPABLE DE DÉFIER CELLE DE LA NYMPHE CÉLESTE"

101

.....

LES MIKAGÉ VEULENT QUE TU PROTÈGES AKI ET QUE TU ME COMBATTES... ET TU NE FAIS QU'ÉCOUTER CE QUE TE DIT DE FAIRE KAGAMI ?

.....

HMMM...

ALORS...

J'AI L'IMPRESSION D'AVOIR PERDU QUELQUE CHOSE D'ENCORE PLUS IMPORTANT AVEC MES SOUVENIRS...

MAIS QUAND JE VOUS VOIS

TOUS LES DEUX... VOUS POSSÉDEZ QUELQUE CHOSE QUE JE NE CONNAIS PAS

...JE N'EN SAIS RIEN...

JE NE VEUX RIEN PROTÉGER DE PARTICULIER AU FOND DE MOI... JE N'AIME PERSONNE ET NE HAIS PERSONNE

102

103

PUISQUE JE TE DIS "JE T'AIME", TU DOIS ME DONNER UNE RÉPONSE !!

TU SAIS, LES FILLES SONT TOUJOURS SÉRIEUSES QUAND IL S'AGIT D'AMOUR !

OUI... ALLEZ DORS !

...VRAIMENT, VRAIMENT !?

BON D'ACCORD, J'Y RÉFLÉ-CHIRAI...

...VRAIMENT

HÉ, TU ENTENDS NYMPHE CÉLESTE ?!

TU ES UNE FILLE TENACE...

104

LES BLA-BLAS DE YUU WATASE

Ces temps-ci, comme je vous disais, je me sens révolutionnaire (rires). J'ai appris que les gens de vingt ans se sentent pareils. Même quand je crée une œuvre, comment dire, au fond de moi, j'ai très envie de casser ce qui est fait jusqu'alors (rires) !! Avant, par exemple, l'amour ou l'espoir (rires), je les ai montrés avec beaucoup de préciosité comme si je les trempais dans le sucre, mais quand j'y repense maintenant, je me sens honteuse. Je ne crois pas avoir changé de caractère mais je le ressens vraiment. Peut-être, si je parle de Ayashi, c'est parce que le côté Cérès en Aya, le personnage principal est quelqu'un avec une face noire. L'amour ou le rêve, toutes ces choses-là ne sont que des illusions !! (je ne crois quand même pas qu'elle soit aussi catégorique)... c'est ce qu'elle pense. Même Aya, elle doit être un personnage qui subit la plus dure épreuve que je n'ai jamais écrite. Pour elle, son ennemie c'est sa propre famille et une autre partie d'elle-même. Je pense qu'une fois que je rentre dans cet univers, je vais jusqu'au bout (rires) . À part les gens de la famille Aogiri, les personnages sont tous un peu révoltés, y compris Toya. Je ne pense pas que Toya puisse vivre un amour très doux ni trop romantique !! (ce n'est pas son style). Je crois qu'il va mieux avec un amour amer comme le café noir... (rires). En tout cas, j'ai une image de Toya très masculine avec plein de sang. Plus tard, peut-être le mettrai-je face à son destin. Vous aurez peur ? Au contraire, Yuhi est très franc et facile à comprendre, je serais contente de le faire devenir un personnage sympa, à moitié sérieux mais actif ! Pour Toya, dès qu'il décide de faire quelque chose, il le fait bien et jusqu'au bout... Alors la question est : que va-t-il décider de faire ?

SES MOTS, SON ATTITUDE NONCHALANTE, JE NE SAIS MÊME PAS S'IL EST FROID OU GENTIL AVEC MOI MAIS... IL ME PLAÎT...

J'AIME TOYA !

CE SENTIMENT EST PLUS FORT QUE TA RANCŒUR, JE PENSE !

AKI AUSSI JE L'AIME... C'EST UN FRÈRE IMPORTANT

COMMENT TE FAIRE PARTIR ?

ALORS LAISSE-MOI TRANQUILLE !!

TOI, SI TU ES UNE PARTIE DE MOI

CUI CUI

DONNE-MOI LA RÉPONSE ...

JE N'AVAIS JAMAIS PASSÉ DE NUIT BLANCHE, MÊME AVANT UNE INTERRO ! POURQUOI JE FAIS TOUT ÇA POUR ELLE...?!

ZUT... AUJOUR-D'HUI PAS D'ÉCOLE, NOUS SOMMES SAMEDI

BUUH !

ALLÔ... YUHI ?

VOUIIII ...?!

ELLE N'EST FINALEMENT PAS RENTRÉE ...

AH L'IDIOTE !

UN PARDON NE SUFFIT PAS !! JE T'AI CHER-CHÉE PAR-TOUT !!

PARDON DE NE PAS T'AVOIR APPELÉ PLUS TÔT...

AYA !?

TOUS LES DEUX ENSEMBLE UNE NUIT ENTIÈRE... ENSEMBLE ...

PARDON DE T'AVOIR FAIT FAIRE DU SOUCI, JE VAIS RAMENER AYA...

PFFFF !!

PARDON DE T'AVOIR ENCORE CAUSÉ DES ENNUIS !

IL EST VRAIMENT EN COLÈRE ...

ALLÔ... AOGIRI ?

T'ES OÙ LÀ ?

JE NE TE PARDONNERAI JAMAIS !!

JE VIENS LA CHERCHER SUR-LE-CHAMP !!

C'EST PAS TOI QUI LA RAMÈNES, DONNE-MOI TON ADRESSE !!

······

KYOU !! TU AS LE SOMMEIL LOURD (ET PAS QUE LE SOMMEIL !!!!)

C'EST VRAIMENT UN GARÇON FACILE À COMPRENDRE ...

CE DRAGUEUR DE TOYA, JE VAIS EN COUPER TROIS TRANCHES ET EN FAIRE DU SASHIMI OU DU POISSON GRILLÉ !!

OOH !!

MAIS SI C'... JUSTE PO... ALLER L... CHERCHE... POURQU... CETTE TEN... ?...

J'Y VAIS !!

NN...

...ON NE PEUT ENCORE RESTER TOUS LES DEUX QUE PEU DE TEMPS ALORS...

D'APRÈS SA VOIX CE DEVRAIT ÊTRE PLUS RAPIDE !

JE CROIS QU'IL DEVRA... ARRIVER DANS UNE VINGTAINE D... MINUTES...

TOUT DE SUITE ?

À LA SOCIÉTÉ ...?

LA SOCIÉTÉ...? KAGAMI !?

...D'ACCORD J'ARRIVE IMMÉDIATEMENT

AU REVOIR ...

HÉ LÀÀÀÀÀ AYA !!!!!

KYOU, ON N'EST PLUS DANS LA VOITURE !!

LA PRO-CHAINE À DROI-TE...

ET TOI TU INQUIÈTES TOUT LE MONDE !!

T'ES BRUYANT TOI TU SAIS !

114

QUI A ÉTÉ BLESSÉ ?!!

TOI LÀ, TU T'EN-FUIS ?!! TU NE TE SENS PAS RESPONSABLE POUR LES BLESSURES DE AYA ?!

ON SE QUITTE ICI !

!!

...AH BON, JE M'SUIS FÂCHÉ POUR RIEN ALORS ...

DE TOUTE FAÇON J'M'EN MOQUAIS ! ...

......

TU AS MAL COMPRIS ET EN PLUS TU PARLES TROP FORT !!

IL NE M'A RIEN FAIT !!

QUOI ? ...IL N'Y A PAS DE PROBLÈME ?

FLIP

QUOI ??! OH...!? OÙ ALLEZ-VOUS !?

TA TAP

BON, EH BIEN RENTRONS !!

RENTRE TOUT SEUL !

PFF, TU SUIS LES GARÇONS MAINTENANT ? ET AKI, QUE DEVIENT-IL !

POUR LA FILATURE FAITES-MOI CONFIANCE ...

KYOU, FAIS BIEN ATTEN-TION QU'IL NE NOUS VOIE PAS !

C'EST UNE... SOCIÉTÉ... IMMENSE, TU SAVAIS QUE TA FAMILLE POSSÉDAIT TOUT CELA ?!

INVITONS-LA À ENTRER...

L'AUTRE PARTIE VIENT JUSTE D'ARRIVER

J'EN SAIS RIEN MOI ! À LA MAISON, TOUT ÉTAIT NORMAL, CE DOIT ÊTRE DE LA FAMILLE !!

MOI AUSSI PLUS TARD, PÉNÉTRERAI-JE DANS CE MONDE ? JE NE VEUX PAS, ÇA A L'AIR ENNUYEUX !

ON NE SAIT JAMAIS CE QUI SE PASSE À L'INTÉRIEUR, C'EST COMME UN ENDROIT OÙ LES GENS ET LES MONSTRES SE MÉLANGENT ET SE BATTENT JOUR ET NUIT !!

POUR MOI LA SOCIÉTÉ ELLE-MÊME EST UN MONDE DIFFÉRENT DU MIEN ET LA COMPAGNIE EST COMME UN DONJON DE RPG !

EN PLUS C'EST FÉRIÉ ET IL EST IMPOSSIBLE D'OUVRIR LA PORTE D'ENTRÉE ! ...

...C'EST PAS BON, NOUS AVONS PERDU DE VUE TOYA !!

C'EST PAS POSSIBLE QUE ÇA S'OUVRE BRUTALEMENT !

AYA ! TU AS TROUVÉ UNE ENTRÉE ?!

YU...

EXCUSEZ-MOI !!

TOYA A DÛ PASSER PAR LÀ AUSSI...

123

BIENVENUE AYA

MOI, C'EST DIFFÉRENT... JE SUIS TON COUSIN...

...CELUI QUI VEUT TE TUER C'EST GRAND-PÈRE

ATTENDS UN PEU !!

PAF

SALUT, À LA PROCHAINE !

125

126

ANNIVERSAIRE : inconnu (âge estimé entre 20 et 24 ans)

GROUPE SANGUIN : AB (confirmé sur tests)

TAILLE : 184 on ne sait rien d'autre

MENSURATIONS : 83/67/86

Pauvre en expression sentimentale mais doté de capacités intellectuelle, physique et musculaire exceptionnelles

TOYA

LES GENS QUI TRAVAILLENT ICI SEMBLENT POUVOIR RENTRER GRÂCE À LEUR VISAGE QUI LEUR SERT DE MOT DE PASSE !

MONSIEUR YUHI !! OÙ EST MADEMOISELLE AYA ?!

KYOU...

TAP TAP

UNE CAMÉRA...

CLAC CLAC

ZUT, OUVREEEEEEZ !!

C'EST QUOI CE SYSTÈME DE SÉCURITÉ SÉLECTIF ?!! IL A LAISSÉ ENTRER AYA !!

HMM ?

JE SUIS CONTENTE D'AVOIR PU VOUS RENDRE SERVICE... MÊME SI JE N'AI RIEN COMPRIS NON PLUS...

...JE... JE N'Y COMPRENDS RIEN MAIS JE NE REGRETTE PAS QUE TU SOIS VENUE KYOU...

BON ! ALLONS CHERCHER AYA !

· · · · ·

IL Y A CINQUANTE ÉTAGES AU BAS MOT, COMMENT FAISONS NOUS ?!...

POURQUOI ????!
DIEU, RÉPONDS-MOI !!

...ON A PU ENTRER !!

C'EST INUTILE, LES PORTES SONT BLOQUÉES PAR ORDINATEUR... IL N'Y A AUCUNE FENÊTRE ET CETTE PIÈCE EST COMPLÈTEMENT ISOLÉE

QUE VEUX-TU FAIRE ?!! TU ES MON COUSIN, N'EST-CE PAS ?!!

SI TU NE VEUX PAS AVOIR À SUBIR DES SOUFFRANCES, FAIS SORTIR GENTIMENT CETTE "NYMPHE CÉLESTE"... AYA !

AUCUN BRUIT NE PARVIENT À L'EXTÉRIEUR... DE TOUTE FAÇON, C'EST FÉRIÉ ET IL N'Y A PERSONNE DANS LES BUREAUX...

POUR... QUOI ?

À CAUSE DU SANG DE LA "NYMPHE CÉLESTE"... ON N'ALLAIT PAS Y METTRE UN SANG D'UNE PERSONNE ÉTRANGÈRE ?!

TU NE LE SAVAIS PAS ?

TON PÈRE ET TA MÈRE ÉTAIENT AUSSI DES COUSINS ÉLOIGNÉS...

DU POINT DE VUE DE LA LOI, IL EST PERMIS DE SE MARIER AVEC UN COUSIN !

CHEZ LES MIKAGÉ, C'EST CE QUI SE PASSE DE GÉNÉRATION EN GÉNÉRATION !

BAH!

AH BON ?
MOI JE SUIS
HEUREUX !

DE GÉNÉRA-
TION EN
GÉNÉRA-
TION... C'EST
TERRIBLE
POUR NOUS
LES HÉRI-
TIERS
!!

AINSI JE VAIS
POUVOIR REN-
CONTRER LA
NYMPHE !!

OUH!

BÉÉÉÉÉ
ÉHHHH
!!

133

MOI, CETTE HISTOIRE COMMENCE À ME DÉPLAIRE SÉRIEUSE-MENT...

...JE PENSE QU'IL VEUT UTILISER AYA À SES PROPRES FINS ...

ET L'ADMINIS-TRATEUR C'EST MON GRAND-PÈRE... IL GÈRE LA SOCIÉTÉ D'UNE FAÇON REMAR-QUABLE...

...MON PÈRE EST MORT EN TENTANT DE SE BATTRE CONTRE AYA ! ET QUE MA MÈRE EST À L'HÔPITAL DANS UN ÉTAT CRI-TIQUE !!

EN PLUS DE ÇA, KAGAMI M'A DIT QUE...

J'ÉTAIS CONTENT DE REVOIR MA SŒUR, ET TOUT D'UN COUP ELLE SE CHANGE EN "NYMPHE CÉLESTE", M'ATTAQUE ET ME PREND POUR SON "ENNEMI" ?!!

TOYA, TU L'AS VUE ET TU L'AS ENTENDUE ...

EN PLUS, ELLE ME REND RESPON-SABLE DE CE "VOL DE LA ROBE DE PLUME" DONT J'IGNORAIS JUSQU'À L'EXISTENCE !!

137

S'ABANDONNER AU DÉSESPOIR, S'AFFLIGER AINSI NE CHANGERA PAS LA SITUATION

C'EST TOUT CE QUE J'AI À TE DIRE...

QU'EST CE QUE NOUS AVONS FAIT ?!!... QU'EST-CE QUI NOUS EST ARRIVÉ ?!... ZUT !!...

À CELA IL AJOUTE QUE JE DOIS COLLABORER POUR ÉVITER QUE L'ON NE TUE AYA... QU'IL NE FAUT PLUS QUE JE LA REVOIE... JE NE SAIS PLUS QUOI FAIRE...!!

AYA DOIT SUPPORTER SES DIFFICULTÉS TOUTE SEULE !

ET ELLE CONTINUAIT DE VOULOIR TE PROTÉGER MALGRÉ TOUT...

HEUREUSE-MENT, LA FAMILLE AOGIRI L'A PRISE SOUS SON AILE ...

ELLE A VU SES PARENTS ET SES PROCHES TEN-TER DE LA TUER ET SON PROPRE PÈRE MOURIR POUR ELLE SOUS SES YEUX !

PENDANT QUE TOUT LE MONDE S'OCCUPAIT DE TOI GEN-TIMENT, DE TOI QUI IGNORAIS TOUT CE QUI S'ÉTAIT PASSÉ...

ELLE S'AC-
CROCHE ET
TENTE DE LUT-
TER CONTRE
SON DESTIN

C'EST AYA QUI SOUFFRE
LE PLUS EN DEVENANT
"NYMPHE CÉLESTE"...
QUELQU'UN D'ÉTRANGER
À ELLE-MÊME !

ET TOI ? TU
ES BIEN TEL
QUE TU ES
?...

TOYA, TOI
ET AYA
VOUS...

TOC
TOC

QUAND JE SUIS
AVEC TOI, JE
TROUVE QUE JE
PARLE TROP...

D'ABORD, CE
N'EST PAS À
MOI DE DIRE
ÇA...

HMM

139

LES BLA-BLAS DE YUU WATASE

À propos, au bureau, tout le monde appelle Toya "le cyborg", "l'androïde"... Est-ce parce que je l'ai montré le moins humain possible (rires) ? Je pense que beaucoup d'entre vous croient que Toya est froid mais ce n'est pas vrai. Simplement il ne sait pas s'exprimer ou alors, lui-même, il ne sait pas qu'il manque de sentiments.

Tout d'abord, il ne se connaît pas lui-même et les autres ne peuvent pas comprendre s'il est gentil ou froid... On a peur et on est inquiet si on n'a pas de mémoire, voilà pourquoi quand Aya lui montre ses sentiments sans détours, il ne sait pas comment réagir... Sa mémoire va certainement devenir la clé de cette histoire (...peut-être). Mes assistantes me disent qu'en vérité il était un simple livreur de pizzas qui passait dans le coin (mais c'est pas possible, idiotes !!). Toya est le favori de mon assistante M, mais elle adore aussi Kagami. En fait c'est une fan de la famille Mikagé !! Yuhi ne l'intéresse pas et elle dit qu'elle ne s'intéresse pas aux enfants (mais dans Fushigi elle adorait Tasuki !!)

Mon autre assistante H dit "j'aime Toya et Yuhi mais j'ai de la sympathie plus pour Yuhi car il a moins d'espoir pour Aya. Mademoiselle K dit "Akiiiii !!" et mon assistante S, "je ne sais pas encore mais Yuhi est mignon car il est comme un chien japonais". Par contre, l'éditeur aime Alex, je me demande ce qui lui plaît en lui ?! Ce n'est pourtant pas une fille ?! En tout cas, on va laisser tomber pour le moment... (je regarde en même temps X-files à la TV)... (je regarde toujours...) C'est vraiment intéressant ce genre de séries. Aussi Tokumei Research 200X est une série intéressante ! Aussi Takeshi No Bambutsu Soseki... C'est ainsi, je ne regarde pas souvent les feuilletons ordinaires... Ah si ! Odoru Dai Sosasen me plaît pas mal. Oh ! Stocker Nigekirenu Ai aussi, je le regarde de temps en temps !... Ça fait peur mais l'acteur joue trop bien !!

AH!

... COMME CE GAR-ÇON...

...CE GARÇON... MIKAGÉ M'A VOLÉ LA ROBE DE PLUME... IL M'A OBLIGÉ À DEVE-NIR SA FEMME... ET J'AI MIS AU MONDE SES ENFANTS...

NOUS SOMMES SES HÉRI-TIERS !

...OUI C'EST LUI...

AKI... C'EST DONC LE GARÇON QUI VOUS A VOLÉ LA ROBE DE PLUME ?

ET VOUS ? ...POUR-QUOI ÊTRE EN AYA ?!

JE REVIS... POUR MA VENGEANCE, EN UNE FILLE QUI PARTAGE MON SANG, QUI EST VENUE AU MONDE CHEZ LES MIKAGÉ ET QUI A UN PHYSIQUE PROCHE DU MIEN !!

...J'AI ESSAYÉ DES MILLIERS DE FOIS... CEPENDANT SI LA PERSONNE NE DÉPASSE PAS L'ÂGE DE SEIZE ANS ALORS "JE" NE PEUX PAS M'ÉVEILLER ET DONC UTILISER LE CORPS COMME JE LE VEUX

UN PHYSIQUE PROCHE ? L'APPARENCE ? LE SANG... CE QUI SIGNIFIE DES GÈNES HÉRÉDITAIRES PROCHES !?

AINSI LA CONSCIENCE DE AYA NE ME GÊNERA PLUS, JE REDEVIENDRAI UNE "NYMPHE CÉLESTE" À PART ENTIÈRE ET JE POURRAI RETOURNER DANS LES CIEUX...

...PEU IMPORTE... AVANT DE VOUS EXTERMINER, MA ROBE DE PLUME... VOUS ALLEZ ME LA RENDRE !!

VOUS... L'AVEZ APPRIS ET VOUS M'AVEZ ENTERRÉE EN RÉALISANT LA "CÉRÉMONIE" À PLUSIEURS REPRISES ! MAIS CETTE FOIS ENFIN...

...AYA DISPARAÎTRA ?

...CE... CELA VEUT DIRE QUE...

...QUELLE IRONIE, JE SUIS RÉAPPARUE DANS LE CORPS DE LA SŒUR JUMELLE DE CELUI QUE JE HAIS LE PLUS AU MONDE !!

149

QU...?

TRÈS BIEN...
J'AI COMPRIS
...JE REPARS
...

TU AIMES DONC TANT CETTE "AYA"...?!

ARRÊTE !! PAS MAIN-TENANT !! SI TU REPARS, NOUS...

IDIOTE !!!

KAGA-MI !

...HEIN ?

JE VAIS COLLABORER... SI TU PENSES POUVOIR RAMENER AYA !

JE NE PEUX PLUS REVOIR AYA TANT QUE CETTE NYMPHE EXISTERA... DÈS QU'ELLE ME VOIT... ELLE SE TRANSFORME AUSSITÔT ALORS...

JE SUIS BIEN DÉCIDÉ... JE VEUX SAVOIR QUI JE SUIS ET OÙ EST CETTE ROBE EMPLUMÉE !

AKI ?

IL COLLABORE !?

VLAN

TU AS PU PRENDRE DES IMAGES DE CÉRÈS AVEC LE MONITEUR DE SECOURS ?

IL Y A AUSSI DES ANALYSES À FAIRE SUR LE SANG DE CÉRÈS QUE JE LUI AI PRIS...

J'AI COMPRIS...

"LE PROJET CÉLESTE" ?

ELLE SERA UN JOUR DES NÔTRES...

J'ATTENDRAI CE MOMENT AVEC IMPATIENCE... CÉRÈS

SI J'AI BIEN COMPRIS, ON LANCE LE "PROJET C", LE PROJET CÉLESTE ?!

VOUS ALLEZ RÉPONDRE AU SOUHAIT DE AKI ?

C'EST UN ATOUT ENVERS CÉRÈS, TANT QU'IL EST LÀ, CÉRÈS RÉAPPARAÎTRA TÔT OU TARD...

JE SUIS DÉCIDÉ ! JE FERAI TOUT POUR QUE AYA RESTE UN ÊTRE HUMAIN NORMAL !

PARCE QUE SINON C'EST SÛR, JE VAIS FINIR PAR MOURIR !!

HEUREUSEMENT QUE VOUS ÊTES TOMBÉS DANS UNE PISCINE !!

157

CES IMAGES SONT CELLES DE LA "NYMPHE CÉLESTE"

COMME VOUS LE CONSTA- TEZ, LE CHAN- GEMENT DE COULEUR DE SES YEUX ET DE SES CHEVEUX PUIS DE TOUT SON CORPS EST SUIVI D'UNE POSSESSION DE POUVOIRS SURNATU- RELS !

BLA BLA

158

SON NOM, AYA MIKA-GÉ, SEIZE ANS

LE NOM DE LA NYMPHE CÉLESTE "CÉRÈS"

CÉRÈS

AYA MIKA...

EH BIEN, COMME VOUS VOUS EN DOUTEZ, UN AUTRE POINT RESTE À CONFIR-MER

C'EST SUR-PRENANT... ON DIRAIT UNE SIMPLE LYCÉENNE, N'EST-CE PAS ?

CÉRÈS ? SON AUTRE NOM EST AUSSI "KÉRÈS". IL PROVIENT D'UNE DÉESSE DE LA ROME ANTIQUE

UNE FEMME DE DIEU ET DE L'HUMANITÉ... "LA LÉGENDE DE LA ROBE DE PLUME" EST AUSSI CONNUE EN EUROPE SOUS LE NOM DE "LÉGENDE DE LA VIERGE AU CYGNE BLANC"

À PART L'AFRIQUE ET LA POLYNÉSIE, ELLE S'ÉTEND À TRA-VERS LE MONDE ENTIER

SUR LE CONTI-NENT AMÉRI-CAIN, L'ASIE CENTRALE ET NORDIQUE, EN OCÉANIE...

JAPON

CETTE LÉGENDE EST RÉPANDUE PARTOUT...

EN ASIE... LE JAPON, LA CHINE, LA CORÉE, L'INDONÉSIE, LA MICRONÉSIE, ETC.

PAS SEULEMENT EN EUROPE DONC...

EN PLUS DE CELA, À L'INTÉRIEUR DU JAPON MÊME, LA LÉGENDE DE LA ROBE DE PLUME ENGLOBE PRATIQUEMENT CINQUANTE ENDROITS DANS TOUT LE PAYS

AKITA
YAMAGATA
NIIGATA
NAGANO
TOYAMA
GIFU
KYOTO
SHIGA
TOTTORI
OKAYAMA
HIROSHIMA
HYOGO
SHIMANE
FUKUOKA

HOKKAIDO
AOMORI
IWATE
MIYAGI
FUKUSHIMA
TOCHIGI
IBARAKI
SAITAMA
CHIBA
TOKYO
SHIZUOKA

NAGASAKI
KAGOSHIMA
KUMAMOTO
EHIME
KOUCHI
KAGAWA
TOKUSHIMA
OKINAWA
OITA
AICHI
WAKAYAMA

IL Y AURAIT BEAUCOUP DE PERSONNES EXISTANTES QUI SERAIENT CONCERNÉES PAR CETTE LÉGENDE...

...CE QUI VEUT DIRE... QUE DANS TOUT LE JAPON... NON, DANS LE MONDE ENTIER...

ET PARMI EUX, IL Y A NOUS LES MIKAGÉ... TOUT À L'HEURE, NOUS VOUS AVONS PROUVÉ LA "VÉRACITÉ" DE LA LÉGENDE AVEC "CÉRÈS"...

AINSI, DANS CHAQUE RÉGION, EN VOLANT LEUR ROBE DE PLUME POUR LES ÉPOUSER, CES HOMMES RECEVAIENT CETTE FAVEUR DES NYMPHES ET ILS ÉTAIENT ALORS... DÉSIGNÉS TELS DES HÉROS... POUR DEVENIR DES LEADERS

ILS DESCEN-DAIENT DONC AINSI NON PAS DES SINGES, MAIS DE LA "RACE DIVI-NE"

LES GENS DE L'ANTIQUITÉ, EN SE MARIANT AVEC DES NYMPHES CÉLESTES ARRI-VAIENT À POSSÉ-DER PROSPÉRITÉ ET POUVOIR

CE QUI VEUT DIRE QUE PARMI LA RACE HUMAI-NE, SEUL UN MIKAGÉ SERA LE LEADER ...

N'EST-CE PAS ?

AKI MIKAGE

"LE LEA-DER"... CETTE FOIS, IL N'Y EN A QU'UN SEUL !

...PARMI EUX, IL Y A LES MIKAGÉ, MAIS CETTE FOIS, ÇA CONCERNE NON SEULEMENT "LA NYMPHE CÉLESTE" ELLE-MÊME MAIS AUSSI "SON LEADER" QUI A RESURGI EN MÊME TEMPS ...

BAH, ÇA IRA... JE PENSE CONTINUER À TE CONFIER LA CHARGE DE SUR-VEILLER AYA ET AKI, ILS T'AIMENT BIEN...

TRAP

TU CONNAIS DONC CE SENTIMENT QU'ON APPELLE AMOUR, TOI ?

...C'EST LA PREMIÈRE FOIS QUE JE TE VOIS AVEC UNE TELLE EXPRESSION

......

...ÇA VEUT DIRE QUOI

IL Y A ENVIRON PLUS DE CENT VARIÉTÉS !!

MONSIEUR TOYA, CHOISIS-SEZ LES DON-NÉES QUE VOUS SOUHAI-TEZ, CE SONT DES DONNÉES MÉMORIELLES !!

TADAA

PLUS PRÉCISÉ-MENT, "LA CONNAISSAN-CE"... PENDANT UN TEMPS DONNÉ, NOUS IMPLANTERONS DANS TON CER-VEAU DES "INFORMA-TIONS"... DONC UNE MÉMOIRE ...

ÇA C'EST TOI

TU PEUX DEVENIR UN OTAKU OU UN GAMER !!

CE NE SONT BIEN SÛR PAS LES "SOUVE-NIRS" QUE TU AS PERDUS...

POUR QUE TU PUISSES ÊTRE PLUS PROCHE DE AYA, JE TE DONNE UNE MÉMOIRE !

DON-NÉES MÉMO-RIELLES ?

JOURNAL DE CRÉATION

J'AI FAIT BEAUCOUP DE RECHERCHES POUR ÉCRIRE AYASHI

HUM, L'ADN ET LE FONCTIONNEMENT DU CERVEAU, LES LÉGENDES JAPONAISES, LES MYSTÈRES DES JUMEAUX, LA LÉGENDE DE LA ROBE DE PLUME, LA BIOTECHNOLOGIE

L'ÉDITEUR

MAIS JE NE SUIS PAS ASSEZ INTELLIGENTE ET TOUT S'EST EMMÊLÉ. JE N'Y AI RIEN COMPRIS !!

FIN

Jeunes lecteurs qui ne connaissez rien à l'ADN, ne vous inquiétez pas, vous apprendrez ça en cours de biologie au lycée. Mais aujourd'hui, l'ADN est de plus en plus appliqué !! Je pense qu'il vaut mieux en savoir plus parce que c'est plus réel que de parler du sang de la famille… (rires).
Le corps des êtres vivants est construit par seulement quatre éléments, et le plan de ces éléments est l'ADN. Ce sont les informations de l'ADN qui déterminent l'apparence des hommes. Oh, et puis zut, je change de sujet !!
Concernant le profil au début du volume 1, il y a un lecteur qui m'a dit : "votre portrait dans le profil du volume 1 est plus joli qu'avant". Mais non, ce n'est pas moi c'est Aya !! (rires). De plus, le portrait figurant dans Oishi Study n°1 de la collection Utopia aussi, par erreur de l'éditeur, est Aya !! Je ne suis quand même pas idiote au point de me dessiner aussi peu ressemblante !! (rires). C'est une grosse erreur !! De toute façon je n'ai plus les cheveux longs. Ah quand même!! Bon, je dois vous quitter. Je reviendrai dans le prochain volume. Tiens au fait, comme il n'y a pas de titres de chapitres dans Ayashi, il n'y a pas non plus d'illustrations d'en-tête et à la place j'essaie de toutes les rassembler quand il y a des pages supplémentaires. Merci de votre compréhension. À PLUS !

JE NE PEUX PAS BIEN LA VOIR…

UN BAISER !! ILS S'EMBRASSAIENT ICI ?!!…

À BIENTÔT

OH LA !! QU'EST CE QUE TU FOUS ?!!

HIIII !!!

ELLE A BIEN DIT "PROFESSEUR", JE N'AI PAS RÊVÉ ?!

C'EST LA PREMIÈRE FOIS QUE JE VOYAIS ÇA EN DIRECT !! ET IL FAIT LE PROF SÉRIEUX !! IL SEMBLE SENSIBLE AUX PETITES LYCÉENNES !!!

IL N'Y A PAS QUE LES PROFS QUI SOIENT AUSSI RAPIDES !

ON DIRAIT QUELQU'UN QUE JE CONNAIS !

TU M'AVAIS DIT QUE SI JE RENTRAIS DANS TA CHAMBRE PENDANT LA NUIT TU ME TUERAIS, NON ?!

TU AURAIS PU L'ÉTEINDRE !

TU AS LAISSÉ LA LUMIÈRE ALLUMÉE TOUTE LA NUIT ET JE N'AI PAS PU M'EN-DORMIR !!

POURQUOI TU DORS SI TARD TOI, YUHI ?!!

TA TA TA TAP

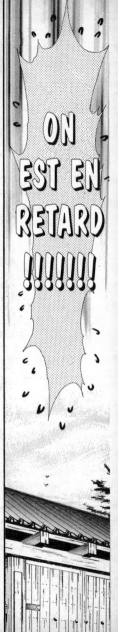

ON EST EN RETARD !!!!!!!

JE NE T'ÉPIERAIS PAS MÊME SI TU ME LE DEMANDAIS !!!

MOI AUSSI JE M'INQUIÈTE QUAND JE ME CHANGE POUR PRENDRE MON BAIN...

C'EST QUOI ÇA ? UNE LUMIÈRE QUI T'EMPÊCHE DE DORMIR, C'EST UNE BLAGUE ?!

HÉ HÉ HÉ

YUHI, CE QUI T'A PERTURBÉ CE N'EST PAS LA LUMIÈRE, C'EST MADEMOISELLE AYA, N'EST-CE PAS ?!

C'EST BEAU L'ADOLESCENCE !!

CE N'EST PAS NOR-MAL... JE N'AVAIS JAMAIS CONNU CETTE EXPÉRIEN-CE... C'EST BIZARRE...

...AI-JE UNE SORTE DE DON ÉTRANGE... DEPUIS QUE LA NYMPHE EST APPA-RUE... !?

DES IMAGES... ME SONT PARVE-NUES...

...DIS... COMMENT SAVAIS-TU QU'ELLE ÉTAIT TOMBÉE ?

C'ÉTAIT DRÔLE... COMME SI SON CORPS S'ENFLAM-MAIT TOUT D'UN COUP...

TU POUR-RAIS ÊTRE MOINS DIRECT !!

...COMME TU DISAIS TOUT À L'HEURE, DES LYCÉENNES COMME TOI, IL N'Y EN PAS D'AUTRES !!

BOBOM...

C'EST VRAI, JE NE CONNAIS PAS D'AUTRE FILLE AVEC UN COURAGE COMME LE TIEN !

... OUAIS !

CE POUVOIR QUE TU AS N'EST PAS ENTIÈREMENT MAUVAIS...

PAR EXEMPLE, URAKAWA... SI TU N'AVAIS PAS ÉTÉ LÀ POUR LA TROUVER... DANS CETTE RUE PEU FRÉQUENTÉE...

SI ELLE AVAIT HEURTÉ QUELQUE CHOSE, ÇA AURAIT PU ÊTRE GRAVE, NON ?

181

CE TYPE-LÀ EST TOUT SAUF UN MÉDECIN, JE VOUS DIS !!!

MAIS JE SUIS NORMAL !!

AOGIRI, TU FERAIS MIEUX DE TE REPO-SER UN PEU, M. MIKAMI VA VENIR T'AUSCULTER LA TÊTE

NE CRIE PLUS, VEUX-TU ?!! TU VAS FINIR PAR RÉVEILLER CETTE ÉLÈVE ...

NN

GNN..

gogom

AYA

JE TE DONNE MA RÉPONSE ...

BRAA

AM

QUOI
?!...

!?

JE N'AI
QU'UNE MIS-
SION, C'EST
LA NYMPHE
CÉLESTE !

NE COMPTE
PLUS SUR
MOI !!

AYASHI NO CÉRÉS 2
UN CONTE DE FÉES CÉLESTE ★ FIN ★

GALERIE D'IMAGES

MENSUEL GRATUIT

TONKAM NEWS

Les sorties et infos sur les Éditions Tonkam - BD Expo, le Comicket, les projections UGC - Atelier Tsuki, concours de dessin, les Cosplay - tous les nouveaux manga & goods au Japon, etc.

<ecrivez-nous@tonkam.com>
www.tonkam.com

Pour tout savoir sur les Éditions Tonkam

MANGA voraces **MENSUEL**

N°1 MAI 2000

1F

Tonkam NEWS

Mangavoraces Tonkam news est édité par les Éditions Tonkam - BP17 - 93101 Montreuil cedex - ISSN en cours
Ne pas jeter sur la voie publique

Kaori Yuki réputée au Japon pour ses shojo manga dessine dans cette fresque peuplée d'anges et démons, la lutte de Sétsuna pour ressusciter sa sœur dont il est éperdument attaché.

Angel Sanctuary

Sétsuna Mudô , jeune homme de 16 ans, est noyé dans le chagrin à cause d'un amour interdit qu'il éprouve envers sa propre sœur Sara. Suite à la guerre angélique, Sétsuna apprend qu'il est la réincarnation de l'ange féminin Alexiel. D'autre part, de nombreux étudiants passionnés par le jeu vidéo "Angel Sanctuary" trouvent la mort, les uns après les autres, une mort qui reste mystérieuse...
Voici la naissance d'une œuvre spectaculaire relatant la bataille acharnée des anges démoniaques !!

Après le succès de son manga *Kaine*, c'est en 1995 que sort au Japon le premier volume d'*Angel Sanctuary* de Kaori Yuki (interview et bibliographie dans le prochain *Mangavoraces*) aux Éditions Haku-sensha. On connaît Kaori Yuki pour son graphisme hors pair soulignant habilement toute la grâce de ses personnages. On lui découvre aussi dans cette série toutes les qualités d'une scénariste redoutable.

À première vue, son histoire peut sembler assez complexe. Traiter d'anges et de démons requiert un minimum de connaissance et de clairvoyance. Pari gagné, c'est avec perspicacité que Kaori Yuki brosse cette fresque séraphique laissant à ses lecteurs le soin de dénouer la trame des destinées de tous ses personnages. Passionnée par les sciences occultes, Kaori Yuki les aborde avec finesse tout en y introduisant un sujet qui la touche : les rapports incestueux et secrets d'un garçon envers sa sœur. Sujet non anodin, tout est lié.
Sa réflexion sur le monde d'aujourd'hui

s'étend plus loin. L'Atsilouth n'est-il pas une transposition de notre société ? N'avons-nous pas donné le triste exemple de guerres d'autorité et de pouvoir absolu ? L'usage de la magie à des fins égoïstes n'aboutit-il pas à la destruction de nos semblables ? Kaori Yuki s'interroge. Quand l'harmonie est brisée entre l'homme et la femme, le père et la mère, le frère et la sœur, tout devient chaos. Quand les dieux sont endormis et les sages évanouis, la raison s'éteint et le désordre s'installe.
Kaori Yuki pose aussi une énigme : la mort inexpliquée de nombreux étudiants férus d'un jeu vidéo intitulé "Angel Sanctuary". Que cache ce jeu mortel qui vole l'âme de ces innocents ?

Sortie le 20 mai

Angel Sanctuary Vol. 1 De Kaori Yuki
224 pages 32 FF -4,88 €

Les œuvres de Kaori Yuki (née un 18 décembre à Tokyo)

Akai hitsuji no kakuln 2 Vol.

Kafka
1 Vol.

Elle a fait ses débuts en 1987 dans la revue *Hana to Yume*.
De 1987 à 1990, elle publie diverses petites histoires non reprises en recueil pour l'instant.

1990 – *Wasurerareta Juliette (Conte Caïne 1)* 1 vol.
1991 – *Zankokuna dowa tachi (Conte de fée cruel)* 1 vol.
1992 – *Soreki agoku (Le Royaume des graviers)* 1 vol.
1992 – *Shonen no fuka suru uto (Conte Caïne 2)* 1 vol.
1993 – *Kafka (Conte Caïne 3)* 1 vol.
1994 – *Akai hitsugi no kakuin (Conte Caïne 4)* 2 vol.
1995 – *Tenshi Kinryoku (Angel Sanctuary)* En cours
1996 – *Kaine Endorphines* (1 vol.).
1998 – *Shonen Zanzo boy's next door.* (1 vol.)

Kaine Endorphines
1 Vol.

Shonen Zanzo
1 Vol.

S0-AJZ-596

"AYASHI NO SERESU !"
un conte de fées céleste
© 1996 by WATASE yuu

Édition française :
© 2000 TONKAM
BP 356 - 75526 Paris Cedex 11.
1re édition : septembre 2000
3e édition : avril 2001
Traduction Adaptation Maquette : Studio TONKAM

Achevé d'imprimer en avril 2001
sur les presses de l'imprimerie Darantiere à Quetigny (Côte-d'Or)
Dépôt légal : mai 2001